W9-AZF-466

황소와 도깨비

초판 1쇄 1999년 11월 15일
초판 12쇄 2003년 3월 20일

지은이 이 상
그린이 한병호
펴낸이 한혁수

기획1팀 전미연, 정경원
디자인 문수경, 한주연
마케팅 정대광, 반수규, 온재상
제작관리 김남원

펴낸곳 도서출판 다림 서울 강남구 역삼동 838-9 거암빌딩 3층
등록 1997. 8. 1. 제 1-2209호
전화 538-2913~4 팩스 563-7739

ISBN 89-87721-18-3 77810

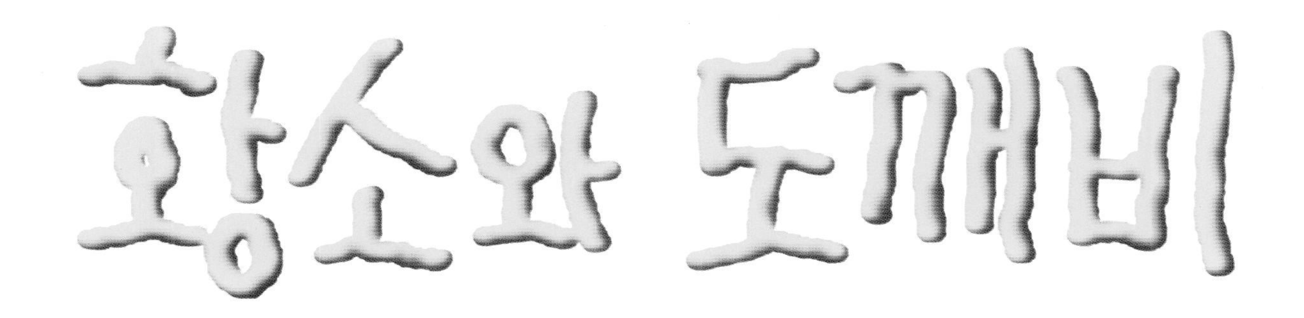

글 이 상 그림 한병호

다림

어느 산골에 돌쇠라는 나무 장수가 있었습니다. 돌쇠는 부모도 친척도 없이 혼자 살았습니다. 보통 땐 빈둥빈둥 놀고 지내다가 먹을 것이 떨어지면 그때서야 나무를 해서 팔러 나갔습니다.
돌쇠에게는 무척 아끼는 황소가 한 마리 있었습니다. 재산을 몽땅 털어서 산 황소였습니다. 황소는 아직 어렸으나 키가 크고 튼튼했습니다.
황소가 긴 꼬리를 양옆으로 흔들며 나뭇짐을 지고
걸어가는 모습은 정말 훌륭해 보였습니다.

어느 겨울 날, 장에 갔다가 집으로 돌아오는 길이었습니다. 별안간 하늘이 흐려지더니 히뜩히뜩 진눈깨비까지 뿌리기 시작했습니다. 돌쇠는 황소가 눈을 맞을까 봐, 잠시 주막에 들어가 쉬었습니다. 다행히 눈은 금방 그쳤습니다. 돌쇠는 황소를 끌고 급히 길을 떠났습니다.

그런데 날이 흐려서인지, 반도 못 와서 어두워지기 시작했습니다.

"야단났구나. 날은 춥고 길은 어둡고, 그렇지만 할 수 있나. 자, 어서 가자."

돌쇠의 말을 알아들었는지, 황소도 딸랑딸랑 뚜벅뚜벅 걸음을 빨리합니다.

얼마쯤 오는데, 갑자기 숲 속에서 이상한 놈이 뛰어나왔습니다.

"아저씨, 제발 살려 주세요."

녀석은 사람인지 원숭인지 분간할 수 없는 얼굴에 기름한 팔다리를 가졌고,

까뭇까뭇한 살결과 우뚝 솟은 귀에 작은 꼬리까지 달려서

고양이 같기도 하고, 개 같기도 했습니다.

"대체 너는 누구냐?"

돌쇠는 깜짝 놀라 소리쳤습니다.

"제 이름은 **산오뚝이**예요."

"뭐? 산오뚝이?"

"거짓말 말어, 요놈아. 너 요놈 도깨비 새끼지!"

돌쇠는 버럭 소리를 질렀습니다.

"네, 정말은 그렇습니다. 그렇지만 산오뚝이라고도 해요."

"하하하, 역시 도깨비 새끼였구나. 그런데 살려 달라니, 그게 무슨 소리냐?"

새끼 도깨비의 이야기는 이러했습니다.

일 주일 전, 새끼 도깨비는 다른 도깨비들과 함께
동네로 놀러 나왔습니다. 그리고 하루 종일 재미있게 놀았습니다.
그런데 집으로 돌아가려 할 때, 그만 동네 사냥개한테 붙들려
꼬리를 물리고 말았습니다.
그뿐 아니라 동무들과도 헤어져 숲 속에 숨어 있었던 것입니다.
도깨비에게 꼬리는 아주 소중한 것입니다. 꼬리가 없으면 재주를 부릴 수도,
집에 갈 수도 없습니다. 날씨까지 추워 상처 난 꼬리가 쑤시고 아팠습니다.
그래서 꼼짝 못 하고 숲 속에 있다가, 마침 돌쇠가 지나가는 것을
보고 살려 달라고 뛰어 나온 것입니다.

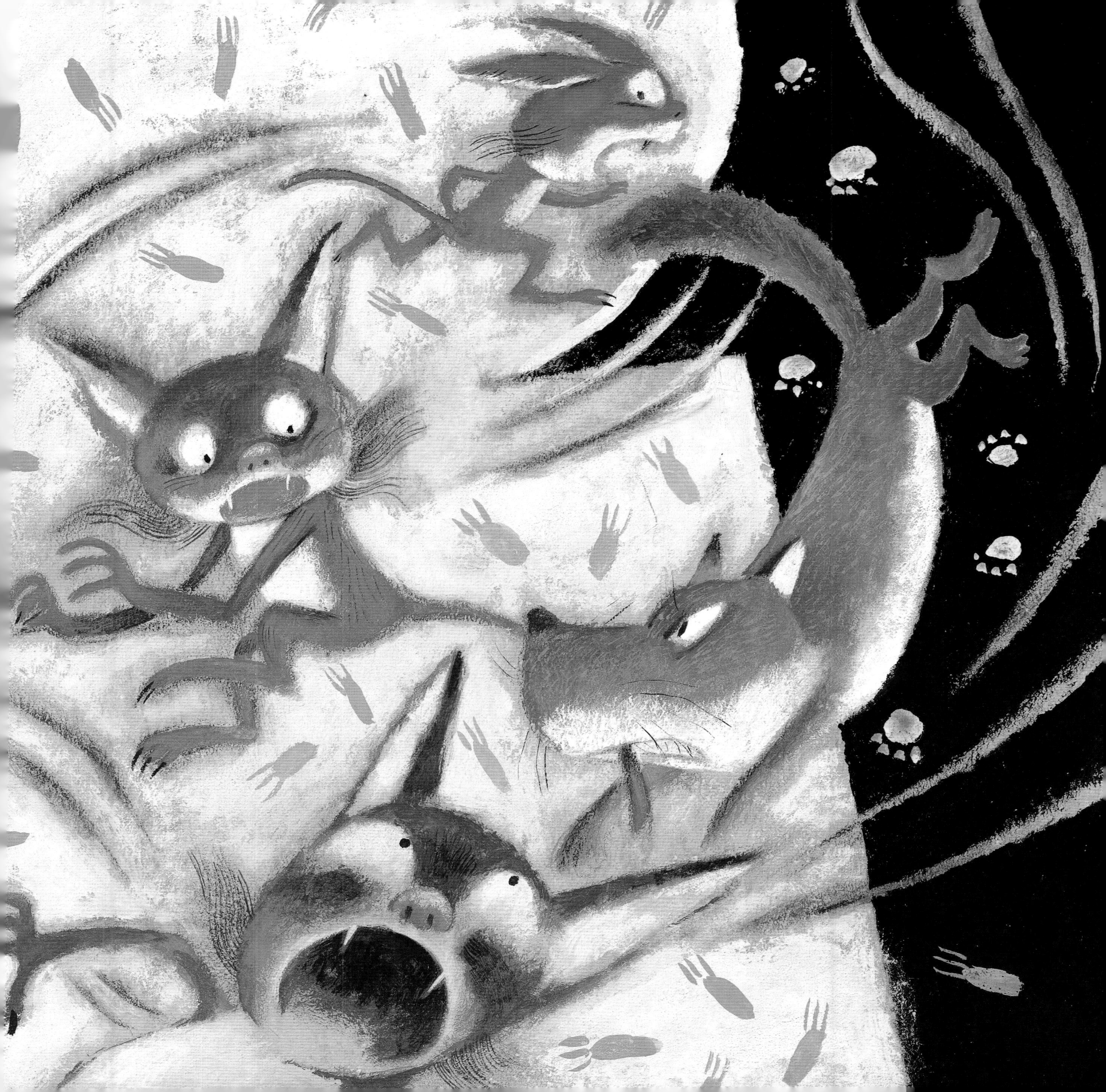

“제발 살려 주세요. 은혜는 평생 잊지 않겠습니다.”
새끼 도깨비는 두 손 모아 빌었습니다.
그러고 보니 정말 꼬리의 상처가 아직도 아물지
않았고, 몸은 바짝 말라 있었습니다.
아무리 도깨비 새끼지만 측은한 생각이 들었습니다.
“그래, 대체 어떻게 해 달라는 말이냐?”
“꼭 두 달 동안만 이 황소 뱃속에 들어가 살 수 있게 해 주십시오.
두 달이 지나면 날도 따뜻해지고 상처도 나을 거예요.
절대로 거짓말이 아닙니다. 대신 황소의 힘을 지금보다
열 배나 더 세게 해 드리겠습니다.”

돌쇠는 기가 막혔습니다. 소중한 황소 뱃속에다 도깨비를
넣으라니…… 하지만 거절하면 새끼 도깨비는 분명 얼어 죽거나
굶어 죽고 말 것입니다. 또 소를 지금보다 열 배나 힘세게 해 준다니,
해로운 일은 아닌 듯했습니다.
생각다 못해 돌쇠는 소의 등을 두드리며 "어떡하면 좋겠니?" 하고
물었습니다. 소는 말귀를 알아 들었는지, 고개를 끄덕끄덕하였습니다.
"그래, 좋다. 꼭 두 달 동안만이다."
새끼 도깨비는 좋아 펄펄 뛰면서 고맙다고 하더니, 깡충 뛰어
황소 뱃속으로 들어갔습니다.

그랬더니 참 놀라운 일이 일어났습니다. 정말로 황소의 힘이 열 배나 세진 것입니다. 그 전에는 하루 종일 걸리던 장터를 나무를 가득 지고도 하루에 세 번씩이나 왕래했습니다.
돌쇠는 도저히 따라갈 수가 없어 새로 달구지를 하나 사서 타고 다녔습니다.
'와 — 이거 참 신기하다.'
돌쇠는 하늘에라도 오른 듯이 기뻤습니다. 그리고 전보다도 훨씬 더 소를 소중히 여겼습니다.

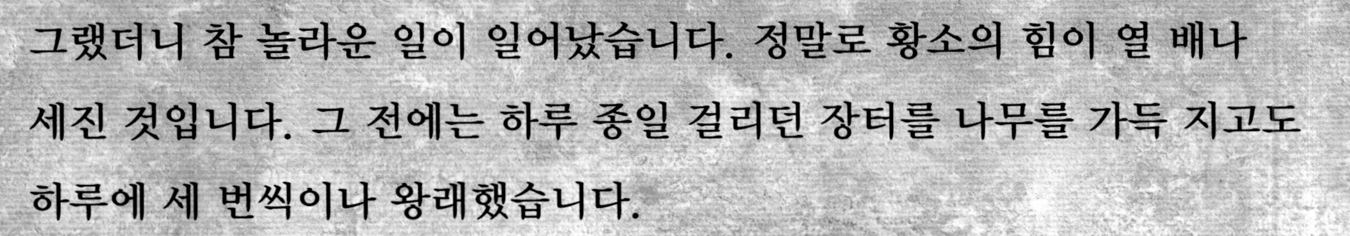

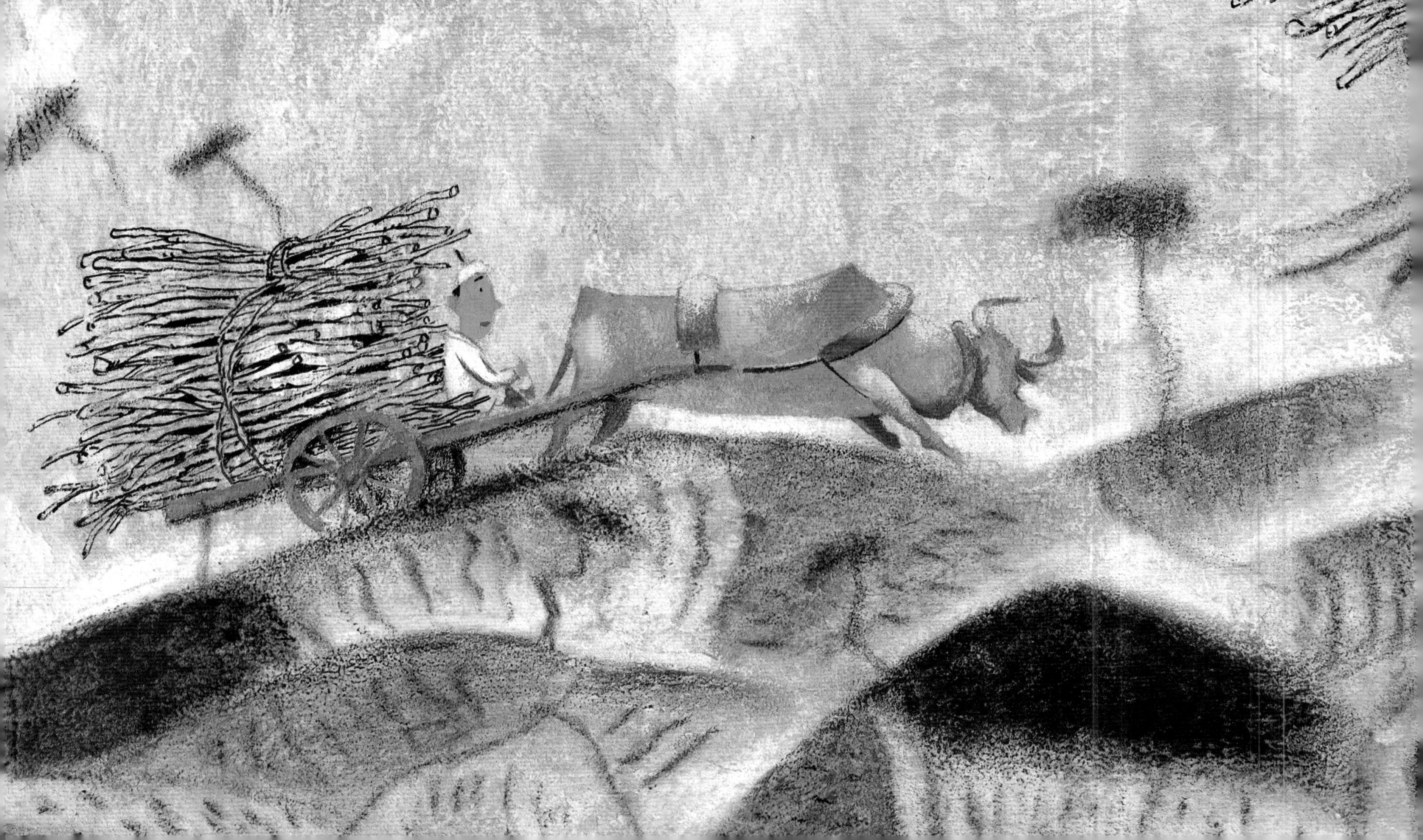

마을 사람들은 그런 황소를 보고 놀라 눈이
둥그래졌습니다. 어떤 사람은 황소의 힘이
어떻게 세졌는지 가르쳐 달라고 졸랐고, 또
어떤 사람은 돈을 얼마든지 줄 테니 팔라고까지
했습니다. 그럴 적마다 돌쇠는
딸랑딸랑 이려이려……
신이 나서 소를 몰았습니다.
게으름뱅이 돌쇠였지만, 힘센 황소를 데리고
다니는 재미에 열심히 나무를 팔러 다녔습니다.
그래서 돈도 많이 모았습니다.

이러는 사이에 어느덧 약속한 날이 다가오고, 자꾸 소의 배가 부르기 시작했습니다. 돌쇠는 깜짝 놀라 커다란 배를 문질러 주기도 하고 약도 써 보았으나, 아무 소용이 없었습니다.
돌쇠는 뱃속에 있는 도깨비 때문일 거라는 생각이 들었습니다. 그러나 처음에 꼭 두 달 동안이라고 약속하였으니, 조금 더 두고 보기로 했습니다.
"며칠 지나면 무슨 결말이 나겠지.
죽을 걸 살려 줬는데
설마 나쁜 짓이야 할까?"
돌쇠는 약속 날짜만 기다렸습니다.

어느 날 새벽이었습니다. 외양간에서 쿵쾅쿵쾅 요란한 소리가 났습니다.
돌쇠는 누가 소를 훔쳐 가는 줄 알고 허둥지둥 외양간으로 달려 갔습니다.
"대체 이게 웬일이야?"
황소가 이를 악물고 괴로워 못 견디겠다는 표정으로 날뛰고 있었습니다.
돌쇠는 황소 고삐를 붙잡고 늘어졌습니다.
그러나 황소는 좀처럼 진정을 못 하고 괴로워했습니다.
"돌쇠 아저씨, 돌쇠 아저씨."
돌쇠는 자기를 부르는 소리를 들었습니다.
정신이 번쩍 나서 주위를 둘러 보았으나 아무도 보이지 않았습니다.
어디선가 또 돌쇠를 부르는 소리가 들려 왔습니다.
그 소리는 황소 입 속에서 나는 것 같았습니다.

돌쇠는 소 입 가까이에 귀를 가져다 댔습니다.

"돌쇠 아저씨, 저예요. 저를 모르세요?"

"오, 너 도깨비 새끼로구나. 아니 왜 여태 그 속에 있니? 얼른 나오지 않고."

그랬더니, 새끼 도깨비가 대답했습니다.

"큰일났어요. 매일 누워서 아저씨가 주시는 음식을 맛있게 먹었더니
살이 너무 많이 쪘나 봐요. 소 모가지가 좁아서 도저히
빠져 나갈 수가 없어요."

"그럼 어떡하면 좋단 말이냐?"

돌쇠는 황소가 불쌍해서 그만 눈물이 글썽글썽해졌습니다.

그 때 새끼 도깨비가 말했습니다.

"좋은 수가 있습니다. 소가 하품을 하게 해 주세요. 입을 딱 벌리고 하품을 할 때, 제가 얼른 밖으로 나갈게요. 그렇지 않으면 평생 이 속에서 살거나, 뱃가죽을 뚫고 나가는 수밖에 없습니다. 제가 밖으로 나가기만 하면 이 소의 힘을 백 배 더 세게 해 드리겠습니다."

"그래, 내가 하품을 하게 할 테니, 기다려라."

대답은 했으나, 어떻게 해야 소가 하품을 하는지, 돌쇠는 도무지 알 수가 없었습니다. 그래서 옆구리도 찔러 보고, 콧구멍에다 막대기도 꽂아 보고, 간지러도 보고, 콧등을 쓰다듬어 보기도 했습니다. 그러나 소는 한두 번 재채기를 했을 뿐입니다.

이대로 있다가는 새끼 도깨비가 자꾸 자라서
황소의 배가 터지고 말 것입니다.
생각다 못해 돌쇠는 동네로 뛰어 내려갔습니다.
"어떡하면 소가 하품을 하는지, 제발 좀 가르쳐 주십시오."
돌쇠는 만나는 사람마다 붙잡고 물었습니다.
그러나 아무도 아는 사람이 없었습니다.
동네에서 제일 나이 많고 뭐든지 잘 안다는 노인조차
아무런 대답을 못 했습니다.

실망한 돌쇠는 꼼짝 않고 외양간 앞에 앉아 황소만 쳐다보았습니다.
'공연히 그 놈에게 속아서 황소 뱃속을 빌려 주었구나.' 하고 후회했습니다.
황소도 자기의 신세를 깨달았는지, 슬픈 표정으로 돌쇠를 보고 있었습니다.

그러다가 피곤하고 졸렸던지 돌쇠가 하품을 하였습니다.
그 때입니다. 돌쇠가 하품을 하는 것을 본 황소가 따라서
하품을 시작했습니다.
"옳지, 됐다!"
돌쇠가 껑충껑충 뛰며 좋아라 손뼉을 칠 때입니다.
벌어진 황소 입으로 통통히 살찐 새끼 도깨비가
깡충 뛰어 나왔습니다.
"돌쇠 아저씨, 그 동안 참 고마웠어요. 은혜를 절대
잊지 못 할 거예요. 그래서 그 보답으로 아저씨
소를 지금보다 백 배 더 힘세게 해 드릴게요."

새끼 도깨비는 돌쇠 앞에 엎드려 넙죽 절을 하였습니다.
그러고 나서 꼬리를 휘저으며 두어 번 재주를 넘더니,
어디론가 사라지고 말았습니다.
돌쇠는 이 때껏 일이 꿈인지 정말인지 어리둥절했습니다.
그러다 홀쭉해진 황소의 배를 보고 나서야
하하하하 큰 소리로 웃었습니다.

돌쇠는 백 배나 힘이 세진 소를 몰며
“도깨비 아니라 귀신이라도 불쌍하거든 살려 주어야 해.”라고
중얼거리며 콧노래를 불렀습니다.

이 상 선생님은 1910년 서울에서 태어나셨고, 본명은 김해경입니다. 선생님은 시, 소설, 수필 등의 장르에 여러 편의 훌륭한 작품을 쓰신 우리나라의 대표적인 작가입니다.
1937년 28세의 젊은 나이로 짧은 인생을 마감하셨습니다.
대표적인 작품으로는 "거울", "건축무한 육면각체", "오감도" 등의 시와 소설 "날개", "종생기", 수필 "권태' 등이 있습니다.
"황소와 도깨비"는 1937년 3월 "매일신보"에 발표된, 이상 선생님이 어린이를 위해 쓰신 유일한 동화입니다.

한병호 선생님은 1962년 서울에서 태어나 추계예술대학교 동양화과를 졸업하셨습니다.
그림책 "도깨비 방망이"를 통해 우리에게 친숙해진 그림 작가로 어린이 책에 좋은 그림을 그리고 계십니다.
대표적인 작품으로는 "혹부리 영감", "해치와 괴물 사형제" 등의 그림책과 동화책 "염라대왕을 잡아라", "내 푸른 자전거", 김유정 단편집 "봄봄" 등이 있습니다.
"도깨비 방망이"로 '제6회 어린이 문화대상 미술부문 본상'을 수상하셨습니다.